学画规范临本系列

速写临本

吉林美术出版社

这是一幅高考时常用的姿态。你可以反复地临摹，熟练后找些模特，多画些站姿或坐姿的速写。为高考打基础。

步骤一　确定基本比例的位置

青年立像原型照

步骤二　概括把握形体的基本形

步骤三　形体立体思维理解

本套丛书中特别要说明的是速写的重要性：

　　有的人不重视速写是不对的，速写不但是高考科目之一，而且多画速写可以达到"熟能生巧"的效果。速写是练习造型能力、收集素材的重要手段。最重要的一点，速写能使一位画家永远保持着鲜明的、敏锐的、捕捉对象特点的感觉，这便是画家最珍贵的成功要素之一。

王守业　作

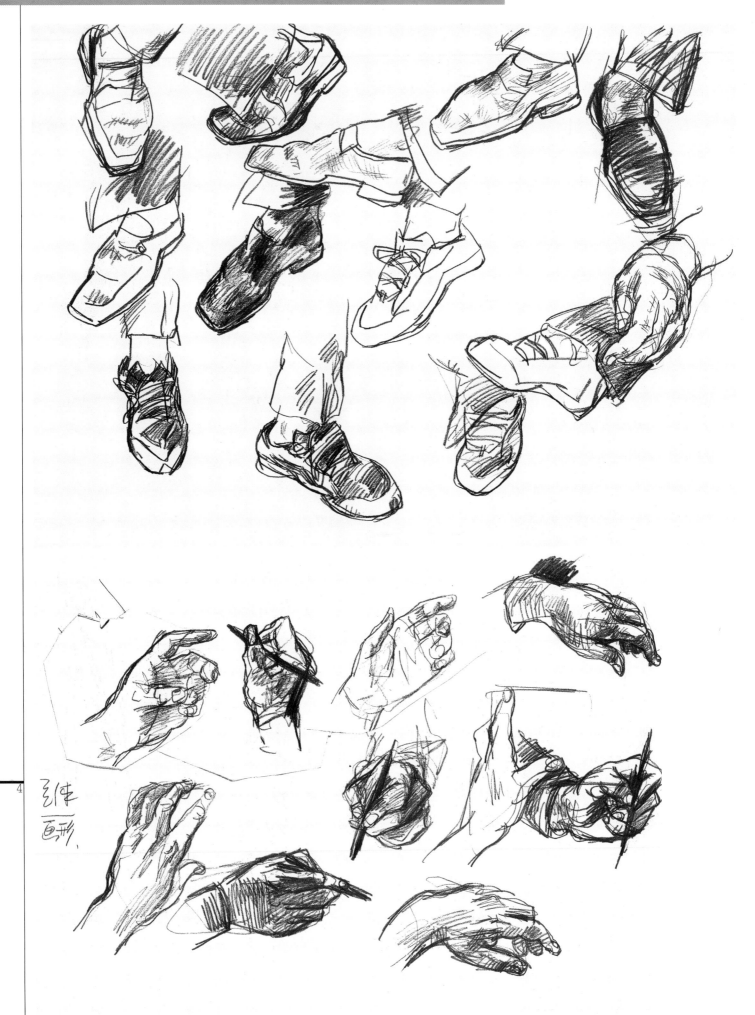

4

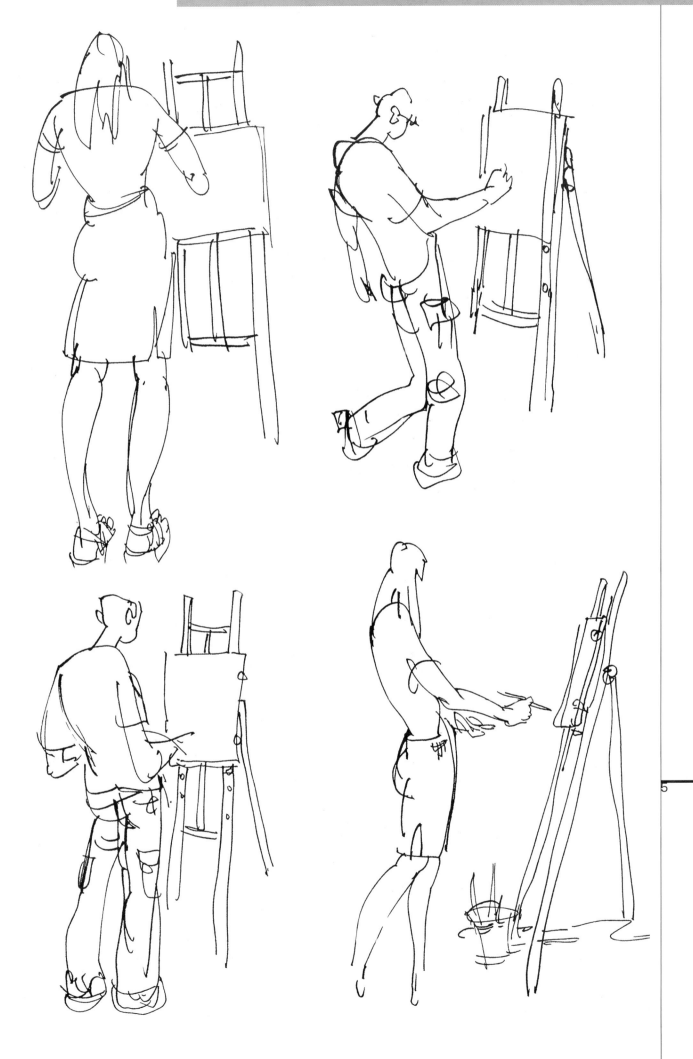

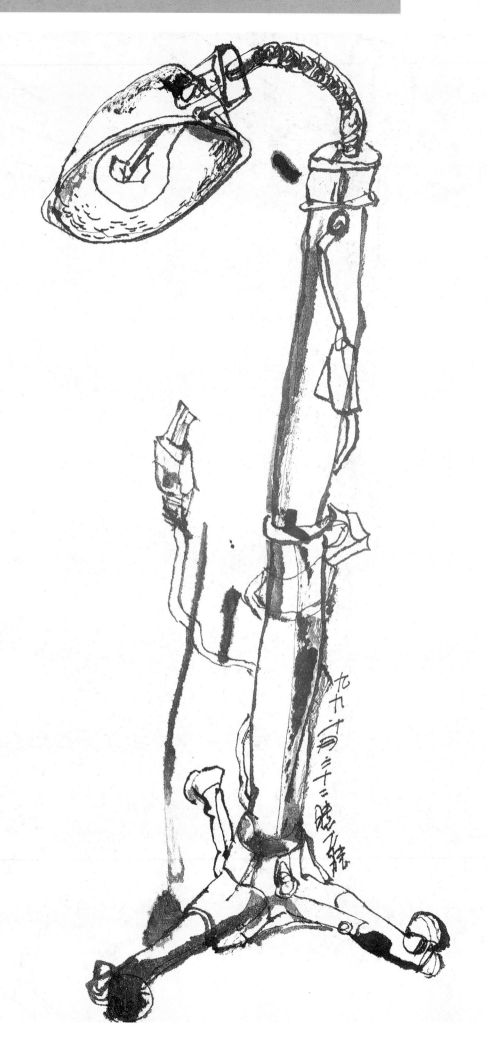

6

海晓龙　作

海晓龙　作

海晓龙　作

刘洋　作

刘洋　作

王守业　作

王守业　作

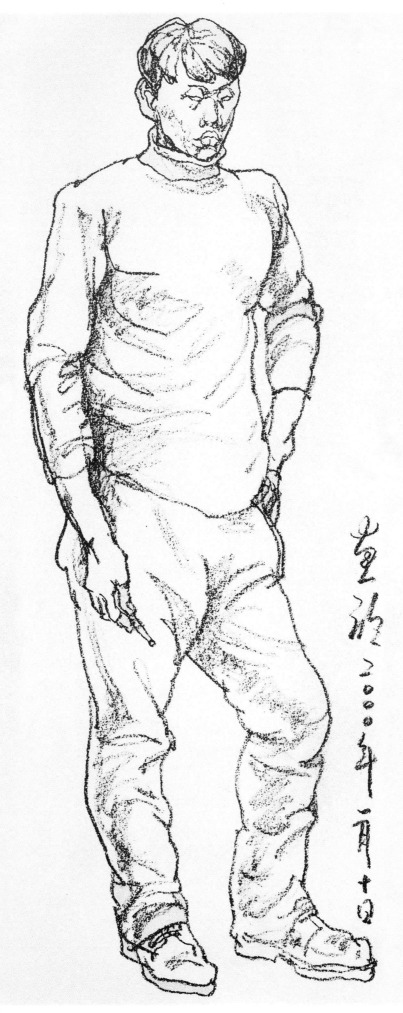

王守业　作

王守业　作

王守业　作

付开飞　作

2003.8.1
苗根源
速写

苗根源　作

刘洋　作

张钧 作

海晓龙　作

苗根源　作

海晓龙　作

回记 作

李小彬　作

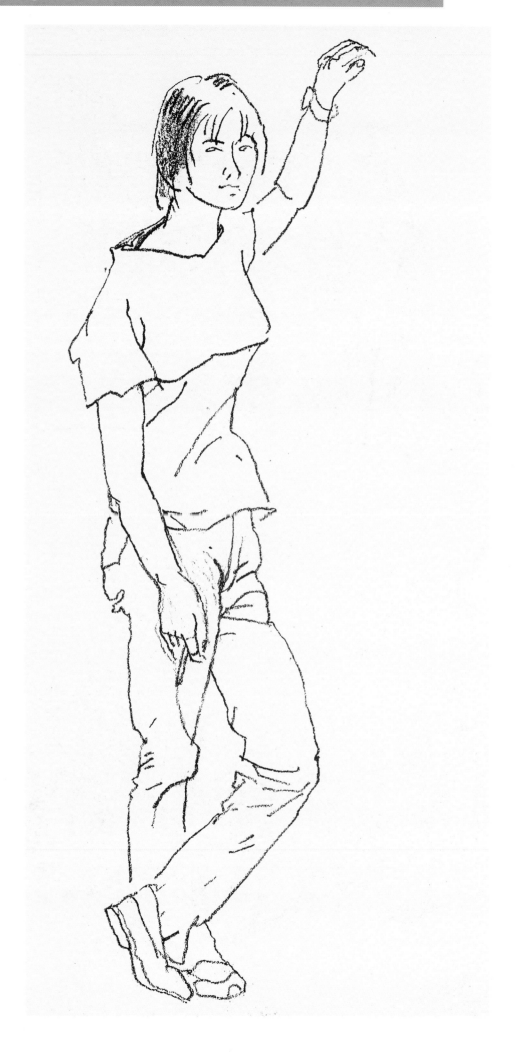